圖書在版編目（CIP）數據

閑情偶寄 /（清）李漁著. -- 揚州 : 廣陵書社, 2010.3（2018.1 重印）
ISBN 978-7-80694-423-3

I. ①閑… II. ①李… III. ①雜文－作品集－中國－清代 IV. ①I264.9

中國版本圖書館CIP數據核字(2010)第047109號

閑情偶寄

著　　者　（清）李漁
責任編輯　王志娟　張敏
出 版 人　曾學文
出版發行　廣陵書社
社　　址　揚州市維揚路三四九號
郵　　編　二二五〇〇九
電　　話　（〇五一四）八五二二八〇八八　八五二二八〇八九
印　　刷　常州市金壇古籍印刷廠有限公司
版　　次　二〇一〇年三月第一版
印　　次　二〇一八年一月第三次印刷
標準書號　ISBN 978-7-80694-423-3
定　　價　壹佰玖拾捌圓整（全肆册）

http://www.yzglpub.com　E-mail:yzglss@163.com

閑情偶寄

清·李漁 著

廣陵書社
中國·揚州

文華叢書序

時代變遷，經典之風采不衰；文化演進，傳統之魅力更著。古人有登高懷遠之慨，今人有探幽訪勝之思。在印刷裝幀技術日新月异的今天，國粹綫裝書的踪迹愈來愈難尋覓，給傾慕傳統的讀書人帶來了不少惆悵和遺憾。我們編印《文華叢書》，實是爲喜好傳統文化的士子提供精神的享受和慰藉。

叢書立意是將傳統文化之精華萃于一編。以内容言，所選均爲經典名著，自諸子百家、詩詞散文以至蒙學讀物、明清小品，咸予收羅，經數年之積纍，已蔚然可觀。以形式言，則采用激光照排，文字大方，版式疏朗，宣紙精印，綫裝裝幀，讀來令人賞心悦目。同時，爲方便更多的讀者購買，復盡量降低成本、降低定價，好讓綫裝珍品更多地進入尋常百姓人家。

可以想像，讀者于忙碌勞頓之餘，安坐窗前，手捧一册古樸精巧的綫裝書，細細把玩，静静研讀，如沐春風，如品醇釀……此情此景，令人神往。

讀者對于綫裝書的珍愛使我們感受到傳統文化的魅力。近年來，叢書中的許多品種均一再重印。爲方便讀者閲讀收藏，特進行改版，將開本略作調整，擴大成書尺寸，以使版面更加疏朗美觀。相信《文華叢書》會贏得越來越多讀者的喜愛。

有《文華叢書》相伴，可享受高品位的生活。

廣陵書社

出版說明

《閑情偶寄》，清代李漁撰，分爲詞曲、演習、聲容、居室、器玩、飲饌、種植、頤養等八部，包含戲曲理論、養生之道、園林建築、家具古玩、飲饌服食等多方面内容。

《詞曲》《演習》《聲容》三部講戲曲的創作與表演。編創方面，李漁提出了立主腦、減頭緒、密針綫，主張結構嚴謹、情節緊凑；語言方面，講究貴淺顯、重機趣、戒淺浮，認爲戲曲是寫給觀衆聽而非置于案頭給文人看的；題材方面，提倡貴在創新，不落窠臼。這些不僅形成了一套完整的戲曲體系，具有較高的理論價值，而且至今仍具有藝術實踐意義，是作者從舞臺的實際出發總結出的寶貴經驗和創作規律。

在其他生活藝術方面，也體現了作者雅致的生活情趣，如《居室部》重蔬食，崇儉約，生動地再現了明末清初的江南鄉風食俗；《飲饌部》中所講生活日用，大至園林設計，小到桌椅、箱籠等器具，莫不運巧思出新意，這部書可謂中國三百年前上層社會休閑娛樂的百科全書。

李漁（一六一一—一六八〇），字笠翁，清代著名戲曲理論家和創作家。他曾自主戲班，專事演出，在社會上産生了較大影響，足迹遍及大江南北。《閑情偶寄》初次付梓是在康熙十年，大受歡迎，翻刻、重刻無計，版本衆多。我社現以雍正八年芥子園《笠翁一家言全集》爲底本，參校他本，訂正原底本明顯誤字，綫裝出版，希望鍾愛中國古典文化與傳統書籍裝幀形式的讀者喜歡。

廣陵書社

目録

第一册

第二册

第三册

第四册

頤養部

序

聲色者，才人之寄旅；文章者，造物之工師。我思古人，如子胥吹簫，正平撾鼓，叔夜彈琴，季長弄笛，王維爲『琵琶弟子』，和凝稱『曲子相公』，以至京兆畫眉，幼輿折齒，子建傅粉，相如挂冠，子京之半臂忍寒，熙載之衲衣乞食，此皆絶世才人，落魄無聊，有所托而逃焉。猶之行百里者，車殆馬煩，寄宿旅舍已爾，其視宜春院裏畫鼓三千，梓澤園中金釵十二，雅俗之别，奚翅徑庭哉！然是物也，雖自然之妙麗，借文章而始傳。前人如《琴》、《笛》、《洞簫》諸賦，固已分刌節度，窮極幼眇；乃至《巫山》陳蘭若之芳，《洛浦》寫瑶碧之飾，東家之子比其赤白，上宫之女狀其艷光，數行之内，若拂馨香，尺幅之中，如親巧笑，豈非筆精墨妙，爲選聲之金管，練色之寶鏡乎？抑有進焉，江淹有云：『藍朱成彩，錯雜之變無窮；宫商爲音，靡曼之態不極。』蛾眉豈同貌而俱動于魄？芳草寧共氣而皆悦于魂？故相其體裁，既家妍而户媚；考其程式，亦日异而月新。假使飛燕、太真生在今時，則必不奏《歸風》之歌，播《羽衣》之舞；文君、孫壽來于此地，則必不掃遠山之黛，施墮馬之妝。何也？數見不鮮也。客有歌于郢中者，《陽春》《白雪》，和者不過數人，非曲高而和寡也，和者日多，則歌者日卑。《陽春》《白雪》何异于《巴人》《下里》乎？西子捧心而顰，醜婦效之，見者却走。其婦未必醜也，使西子效顰，亦同嫫姆矣。由此觀之，聲色之道千變萬化。造物者有時而窮，物不可以終窮也，故受之以才。天地爐錘，鑄之不盡；吾心橐籥，動而愈出。三寸不律，能鑿混沌之竅；五色赫蹄，可煉女媧之石。則斯人者，誠宫閨之刀尺而帷簿之班、輸。天下文章，莫大乎是矣。讀笠翁先生之書，吾驚焉。所著《閑情偶寄》若干卷，用狡獪伎倆，作游戲神通。入公子行以當場，現美人身而説法。雖才洎乎平章土木，勾當烟花，哺啜之事亦復可觀，屐履之間皆得其任。乃笠翁人三昧，筆補天工，而鏤空繪影，索隱鈎奇，竊恐犯造物之忌矣。乃笠翁不徒托諸空言，遂已演爲本事。家居長干，山樓水閣，藥欄花砌，輒引人著勝地。薄游吴市，集名優數輩，度其梨園法曲，紅弦翠袖，燭影参差，望者疑爲神仙中人。若是乎笠翁之才，造物不惟不忌，而且惜其勞、美其報焉。人生百年，爲樂苦不足也，笠翁何以得此于天哉！僕本恨人，幸逢良宴，正如秦穆睹《鈞天》之樂，趙武聽孟姚之歌，非不醉心，仿佛夢中而已矣。

吴門同學弟尤侗拜撰

詞曲部

結構第一

填詞一道，文人之末技也。然能抑而爲此，猶覺愈于馳馬試劍，縱酒呼盧。孔子有言：『不有博弈者乎？爲之猶賢乎已。』博弈雖戲具，猶賢于『飽食終日，無所用心』；填詞雖小道，不又賢于博弈乎？吾謂技無大小，貴在能精；才乏纖洪，利于善用；能精善用，雖寸長尺短亦可成名。否則才誇八斗，胸號五車，爲文僅稱點鬼之談，著書惟供覆瓿之用，雖多亦奚以爲？填詞一道，非特文人工此者足以成名，即前代帝王，亦有以本朝詞曲擅長，遂能不泯其國事者。請歷言之：高則誠、王實甫諸人，元之名士也，捨填詞一無表見；使兩人不撰《琵琶》、《西廂》，則沿至今日，誰復知其姓字？是則誠、實甫之傳，《琵琶》、《西廂》傳之也。湯若士，明之才人也，詩文尺牘，盡有可觀，而其膾炙人口者，不在尺牘詩文，而在《還魂》一劇。使若士不草《還魂》，則當日之若士，已雖有而若無，況後代乎？是若士之傳，《還魂》傳之也。此人以填詞而得名者也。歷朝文字之盛，其名各有所歸，『漢史』、『唐詩』、『宋文』、『元曲』，此世人口頭語也。《漢書》、《史記》，千古不磨，尚矣；唐則詩人濟濟，宋有文士蹌蹌，宜其鼎足文壇，爲三代後之三代也。元有天下，非特政刑禮樂一無可宗，即語言文學之末，圖書翰墨之微，亦少概見；使非崇尚詞曲，得《琵琶》、《西廂》以及《元人百種》諸書傳于後代，則當日之元，亦與五代、金、遼同其泯滅，焉能附三朝驥尾，而挂學士文人之齒頰哉？此帝王國事以填詞而得名者也。由是觀之，填詞非末技，乃與史傳詩文同源而异派者也。近日雅慕此道，刻欲追踪元人、配饗若士者盡多，而究竟作者寥寥，未聞絶唱。其故維何？止因詞曲一道，但有前書堪讀，并無成法可宗。暗室無燈，有眼皆同瞽目，無怪乎覓途不得，問津無人，半途而廢者居多，差毫厘而謬千里者，亦復不少也。嘗怪天地之間有一種文字，即有一種文字之法脉準繩載之于書者，不异耳提面命；獨于填詞製曲之事，非但略而未詳，亦且置之不道。揣摩其故，殆有三焉：一則爲此理甚難，非可言傳，止堪意會；想入雲霄之際，作者神魂飛越，如在夢中，不至終篇，不能返魂收魄；談真則易，説夢爲難，非不欲傳，不能傳也。若是，則誠异誠難，誠爲不可道矣。吾謂此等至理，皆言最上一乘，非填詞之學節節皆如是也，豈可爲精者難言，而粗者亦置弗道乎？一則爲填詞之理變幻不常，言當如是，又有不當如是者。如填生旦之詞貴于莊雅，製净丑之曲務帶詼諧，此理之常也；乃忽遇風流放佚之生旦，反覺莊雅爲非，作迂腐不情之净丑，轉以詼諧爲忌。諸如此類者，悉難膠柱。恐以一定之陳言，誤泥古拘方之作者，是以寧爲闕疑，不生蛇足。若是，則此種變幻之理，不獨詞曲爲然，帖括詩文皆若是也，豈有執死法爲文而能見賞于人、相傳于後者乎？一則爲從來名士以詩賦見重者十之九，以詞曲相傳者猶不及什一，蓋千百人一見者也。凡有能此者，悉皆剖腹藏珠，務求自秘，謂此法無人授我，我豈獨肯傳人。使家家製曲，户户填詞，則無論《白雪》盈車，《陽春》遍世，淘金選玉者未必不使後來居上，而覺糠秕在前；且使周郎漸出，顧曲者多，攻出瑕疵，令前人無可藏拙，是自爲后羿而教出無數逢蒙，環執干戈而害我也，不如仍仿前人，緘口不提之爲是。吾揣摩不傳之故，雖三者并列，竊恐此意居多。以我論之：文章者，天下之公器，非我之所能私；是非者，千古之定評，豈人之所能倒？不若出我所有，公之于人，收天下後世之名賢悉爲同調，勝我者我師之，仍不失爲起予之高足；類我者我友之，亦不愧爲攻玉之他山。持此爲心，遂不覺以生平底裏，和盤托出，并前人已傳之書，亦爲取長弃短，别出瑕瑜，使人知所從違，而不爲誦讀所誤。知我，罪我，憐我，殺我，悉聽世人，不復能顧其後矣。但恐我所言者，自以爲是而未必果是；人所趨者，我以爲非而未必盡非。但矢一字之公，可謝千秋之罰。噫，元人可作，當必貰予。

填詞首重音律，而予獨先結構者，以音律有書可考，其理彰明較著。自《中原音韵》一出，則陰陽平仄畫有塍區，如舟行水中，車推岸上，稍知率由者，雖欲故犯而不能矣。《嘯餘》、《九宫》二譜一出，則葫蘆有樣，粉本昭然。前人呼製曲爲填詞，填者，布也，猶棋枰之中畫有定格，見一格，布一子，止有黑白之分，從無出人之弊，彼用韵而我叶之，彼不用韵而我縱横流蕩之。至于引商刻羽，戛玉敲金，雖曰神而明之，匪可言喻，亦由勉强而臻自然，蓋遵守成法之化境也。至于結構二字，則在引商刻羽之先，拈韵抽毫之始。如造物之賦形，當其精血初凝，胞胎未就，先爲製定全形，使點血而具五官百骸之勢。儻先無成局，而由頂及踵，逐段滋生，則人之一身，當有無數斷續之痕，而血氣爲之中阻矣。工師之建宅亦然。基址初平，間架未立，先籌何處建廳，何方開户，棟需何木，梁用何材，必俟成局了然，始可揮斤運斧。儻造成一架而後再籌一架，則便于前者，不便于後，勢必改而就之，未成先毁，猶之築舍道旁，兼數宅之匠資，不足供一廳一堂之用矣。故作傳奇者，不宜卒急拈毫，袖手于前，始能疾書于後。有奇事，方有奇文，未有命題不佳，而能出其錦心、揚爲綉口者也。嘗讀時髦所撰，惜其慘淡經營，用心良苦，而不得被管弦、副優孟者，非審音協律之難，而結構全部規模之未善也。

詞采似屬可緩，而亦置音律之前者，以有才技之分也。文詞稍勝者即號才人，音律極精者終爲藝士。師曠止能審樂，不能作樂；龜年但能度詞，不能製詞；使與作樂製詞者同堂，吾知必居末席矣。事有極細而亦不可不嚴者，此類是也。

戒諷刺

武人之刀，文士之筆，皆殺人之具也。刀能殺人，人盡知之；筆能殺人，人則未盡知也。然筆能殺人，猶有或知之者；至筆之殺人較刀之殺人，其快其凶更加百倍，則未有能知之而明言以戒世者。予請深言其故。何以知之？知之于刑人之際。殺之與剮，同是一死，而輕重别焉者。以殺止一刀，爲時不久，頭落而事畢矣；剮必數十百刀，爲時必經數刻，死而不死，痛而復痛，求爲頭落事畢而不可得者，祇在久與暫之分耳。然則筆之殺人，其爲痛也，豈止數刻而已哉！竊怪傳奇一書，昔人以代木鐸，因愚夫愚婦識字知書者少，勸使爲善，誡使勿惡，其道無由，故設此種文詞，借優人説法，與大衆齊聽。謂善者如此收場，不善者如此結果，使人知所趨避，是藥人壽世之方，救苦弭灾之具也。後世刻薄之流，以此意倒行逆施，借此文報仇泄怨。心之所喜者，處以生旦之位，意之所怒者，變以浄丑之形，且舉千百年未聞之醜行，幻設而加于一人之身，使梨園習而傳之，幾爲定案，雖有孝子慈孫，不能改也。噫，豈千古文章止爲殺人而設？一生誦讀徒備行凶造孽之需乎？蒼頡造字而鬼夜哭，造物之心，未必非逆料至此也。凡作傳奇者，先要滌去此種肺腸，務存忠厚之心，勿爲殘毒之事。以之報恩則可，以之報怨則不可；以之勸善懲惡則可，以之欺善作惡則不可。

人謂《琵琶》一書，爲譏王四而設。因其不孝于親，故加以入贅豪門，致親餓死之事。何以知之？因『琵琶』二字，有四『王』字冒于其上，則其寓意可知也。噫，此非君子之言，齊東野人之語也。凡作傳世之文者，必先有可以傳世之心，而後鬼神效靈，予以生花之筆，撰爲倒峽之詞，使人人贊美，百世流芬。傳非文字之傳，一念之正氣使傳也。『五經』、『四書』、《左》、《國》、《史》、《漢》諸書，與大地山河同其不朽，試問當年作者，有一不肖之人、輕薄之子厠于其間乎？但觀《琵琶》得傳至今，則高則誠之爲人，必有善行可予，是以天壽其名，使不與身俱没，豈殘忍刻薄之徒哉！即使當日與王四有隙，故以不孝加之，然則彼與蔡邕未必有隙，何以有隙之人，止暗寓其姓，不明叱其名，而以未必有隙之人，反蒙李代桃僵之實乎？此顯而易見之事，從無一人辯之。創爲是説者，其不學無術可知矣。

予向梓傳奇，嘗埒誓詞于首，其略云：加生旦以美名，原非市恩于有托；抹净丑以花面，亦屬調笑于無心；凡以點綴詞場，使不岑寂而已。但慮七情以内，無境不生，六合之中，何所不有。幻設一事，即有一事之偶同；喬命一名，即有一名之巧合。焉知不以無基之樓閣，認爲有樣之葫蘆？是用瀝血鳴神，剖心告世，儻有一毫所指，甘爲三世之喑，即漏顯誅，難逋陰罰。此種血忱，業已沁入梨棗，印政寰中久矣。而好事之家，猶有不盡相諒者，每觀一劇，必問所指何人。噫，如其盡有所指，則誓詞之設，已經二十餘年，上帝有赫，實式臨之，胡不降之以罰？兹以身後之事，且置勿論，論其現在者：年將六十，即旦夕就木，不爲夭矣。向憂伯道之憂，今且五其男，二其女，孕而未誕、誕而待孕者，尚不一其人，雖盡屬景升豚犬，然得此以慰桑榆，不憂窮民之無告矣。年雖邁而筋力未衰，涉水登山，少年場往往追予弗及；貌雖癯而精血未耗，尋花覓柳，兒女事猶然自覺情長。所患在貧，貧也，非病也；所少在貴，貴豈人人可幸致乎？是造物之憫予，亦云至矣。非憫其才，非憫其德，憫其方寸之無他也。生平所著之書，雖無裨于人心世道，若止論等身，幾與曹交食粟之軀等其高下。使其間稍伏機心，略藏匕首，造物且誅之奪之不暇，肯容自作孽者老而不死，猶得徉狂自肆于筆墨之林哉？吾于發端之始，即以諷刺戒人，且若囂囂自鳴得意者，非敢故作夜郎，竊恐詞人不究立言初意，謬信『琵琶王四』之説，因謬成真。誰無恩怨？誰乏牢騷？悉以填詞泄憤，是此一書者，非闡明詞學之書，乃教人行險播惡之書也。上帝討無禮，予其首誅乎？現身説法，蓋爲此耳。

立主腦

古人作文一篇，定有一篇之主腦。主腦非他，即作者立言之本意也。傳奇亦然。一本戲中，有無數人名，究竟俱屬陪賓，原其初心，止爲一人而設。即此一人之身，自始至終，離合悲歡，中具無限情由，無究關目，究竟俱屬衍文，原其初心，又止爲一事而設。此一人一事，即作傳奇之主腦也。然必此一人一事果然奇特，實在可傳而後傳之，則不愧傳奇之目，而其人其事與作者姓名皆千古矣。如一部《琵琶》，止爲蔡伯喈一人，而蔡伯喈一人又止爲『重婚牛府』一事，其餘枝節皆從此一事而生。二親之遭凶，五娘之盡孝，拐兒之騙財匿書，張大公之疏財仗義，皆由于此。是『重婚牛府』四字，即作《琵琶記》之主腦也。一部《西厢》，止爲張君瑞一人，而張君瑞一人又止爲『白馬解圍』一事，其餘枝節皆從此一事而生。夫人之許婚，張生之望配，紅娘之勇于作合，鶯鶯之敢于失身，與鄭恒之力争原配而不得，皆由于此。是『白馬解圍』四字，即作《西厢記》之主腦也。餘劇皆然，不能悉指。後人作傳奇，但知爲一人而作，不知爲一事而作。盡此一人所行之事，逐節鋪陳，有如散金碎玉，以作零出則可，謂之全本，則爲斷綫之珠，無梁之屋。作者茫然無緒，觀者寂然無聲，無怪乎有識梨園，望之而却走也。此語未經提破，故犯者孔多，而今而後，吾知鮮矣。

脱窠臼

『人惟求舊，物惟求新。』新也者，天下事物之美稱也。而文章一道，較之他物，尤加倍焉。戛戛乎陳言務去，求新之謂也。至于填詞一道，較

之詩賦古文，又加倍焉。非特前人所作，于今爲舊，即出我一人之手，今之視昨，亦有間焉。昨已見而今未見也，知未見之爲新，即知已見之爲舊矣。古人呼劇本爲『傳奇』者，因其事甚奇特，未經人見而傳之，是以得名，可見非奇不傳。『新』即『奇』之别名也。若此等情節業已見之戲場，則千人共見，萬人共見，絶無奇矣，焉用傳之？是以填詞之家，務解『傳奇』二字。欲爲此劇，先問古今院本中，曾有此等情節與否，如其未有，則急急傳之，否則枉費辛勤，徒作效顰之婦。東施之貌未必醜于西施，止爲效顰于人，遂蒙千古之誚。使當日逆料至此，即勸之捧心，知不屑矣。吾謂填詞之難，莫難于洗滌窠臼，而填詞之陋，亦莫陋于盗襲窠臼。吾觀近日之新劇，非新劇也，皆老僧碎破之衲衣，醫士合成之湯藥。取衆劇之所有，彼割一段，此割一段，合而成之，即是一種『傳奇』。但有耳所未聞之

姓名，從無目不經見之事實。語云『千金之裘，非一狐之腋』，以此贊時人新劇，可謂定評。但不知前人所作，又從何處集來？豈《西厢》以前，别有跳墻之張珙？《琵琶》以上，另有剪髮之趙五娘乎？若是，則何以原本不傳，而傳其抄本也？窠臼不脱，難語填詞，凡我同心，急宜參酌。

密針綫

編戲有如縫衣，其初則以完全者剪碎，其後又以剪碎者湊成。剪碎易，湊成難，湊成之工，全在針綫緊密。一節偶疏，全篇之破綻出矣。每編一折，必須前顧數折，後顧數折。顧前者，欲其照映，顧後者，便于埋伏。照映埋伏，不止照映一人、埋伏一事，凡是此劇中有名之人、關涉之事，與前此後此所説之話，節節俱要想到。寧使想到而不用，勿使有用而忽之。吾觀今日之傳奇，事事皆遜元人，獨于埋伏照映處，勝彼一籌。非今人之太工，以元人所長全不在此也。若以針綫論，元曲之最疏者，莫過于《琵琶》。無論大關節目背謬甚多，如：子中狀元三載，而家人不知；身贅相府，享盡榮華，不能自遣一僕，而附家報于路人；趙五娘千里尋夫，隻身無伴，未審果能全節與否，其誰證之？諸如此類，皆背理妨倫之甚者。再取小節論之，如五娘之剪髮，乃作者自爲之，當日必無其事。以有疏財仗義之張大公在，受人之托，必能終人之事，未有坐視不顧，而致其剪髮者也。然不剪髮，不足以見五娘之孝。以我作《琵琶》，《剪髮》一折亦必不能少，但須回護張大公，使之自留地步。吾讀《剪髮》之曲，并無一字照管大公，且若有心譏刺者。據五娘云：『前日婆婆没了，虧大公周濟。如今公公又死，無錢資送，不好再去求他，衹得剪髮』云云。若是，則剪髮一事乃自願爲之，非時勢迫之使然也，奈何曲中云：『非奴苦要孝名傳，祇爲上山擒虎易，開口告人難。』此二語雖屬恒言，人人可道，獨不宜出五娘之口。彼自不肯告人，何以言其難也？觀此二語，不似懟怨大公之詞乎？然此猶屬背後私言，或可免于照顧。迨其哭倒在地，大公見之，許送錢米相資，以備衣衾棺椁，則感之頌之，當有不啻口出者矣，奈何曲中又云：『祇恐奴身死也，兀自没人埋，誰還你恩債？』試問公死而埋者何人？姑死而埋者何人？對埋殮公姑之人而自言暴露，將置大公于何地乎？且大公之相資，尚義也，非圖利也，『誰還恩債』一語，不幾抹倒大公，將一片熱腸付之冷水乎？此等詞曲，幸而出自元人，若出我輩，則群口訕之，不識置身何地矣！予非敢于仇古，既爲詞曲立言，必使人知取法，若扭于世俗之見，謂事事當法元人，吾恐未得其瑜，先有其瑕。人或非之，即舉元人借口，烏知聖人千慮，必有一失；聖人之事，猶有不可盡

法者，况其他乎？《琵琶》之可法者原多，請舉所長以蓋短。如《中秋賞月》一折，同一月也，出于牛氏之口者，言言歡悦；出于伯喈之口者，字字凄凉。一座兩情，兩情一事，此其針綫之最密者。瑕不掩瑜，何妨并舉其略。然傳奇一事也，其中義理分爲三項：曲也，白也，穿插聯絡之關目也。元人所長者止居其一，曲是也，白與關目皆其所短。吾于元人，但守其詞中繩墨而已矣。

减頭緒

頭緒繁多，傳奇之大病也。《荆》、《劉》、《拜》、《殺》(《荆釵記》、《劉知遠》、《拜月亭》、《殺狗記》)之得傳于後，止爲一綫到底，并無旁見側出之情。三尺童子觀演此劇，皆能了了于心，便便于口，以其始終無二事，貫串祇一人也。後來作者不講根源，單籌枝節，謂多一人可增一人之事。

事多則關目亦多，令觀場者如入山陰道中，人人應接不暇。殊不知戲場脚色，止此數人，便換千百個姓名，也祇此數人裝扮，止在上場之勤不勤，不在姓名之换不换。與其忽張忽李，令人莫識從來，何如祇扮數人，使之頻上頻下，易其事而不易其人，使觀者各暢懷來，如逢故物之爲愈乎？作傳奇者，能以『頭緒忌繁』四字刻刻關心，則思路不分，文情專一，其爲詞也，如孤桐勁竹，直上無枝，雖難保其必傳，然已有《荆》、《劉》、《拜》、《殺》之勢矣。

戒荒唐

昔人云：『畫鬼魅易，畫狗馬難。』以鬼魅無形，畫之不似，難于稽考；狗馬爲人所習見，一筆稍乖，是人得以指摘。可見事涉荒唐，即文人藏拙之具也。而近日傳奇，獨工于爲此。噫，活人見鬼，其兆不祥，矧有吉事之家，動出魑魅魍魎爲壽乎？移風易俗，當自此始。吾謂劇本非他，即三代以後之《韶》、《濩》也。殷俗尚鬼，猶不聞以怪誕不經之事被諸聲樂，奏于廟堂，矧辟謬崇真之盛世乎？王道本乎人情，凡作傳奇，祇當求于耳目之前，不當索諸聞見之外。無論詞曲，古今文字皆然。凡説人情物理者，千古相傳；凡涉荒唐怪异者，當日即朽。『五經』、『四書』、《左》、《國》、《史》、《漢》，以及唐宋諸大家，何一不説人情？何一不關物理？及今家傳户頌，有怪其平易而廢之者乎？《齊諧》，志怪之書也，當日僅存其名，後世未見其實。此非平易可久、怪誕不傳之明驗歟？人謂家常日用之事，已被前人做盡，窮微極穩，纖芥無遺，非好奇也，求爲平而不可得也。予曰：不然。世間奇事無多，常事爲多；物理易盡，人情難盡。有一日之君臣父子，即有一日之忠孝節義。性之所發，愈出愈奇，盡有前人未作之事，留之以待後人，後人猛發之心，較之勝于先輩者。即就婦人女子言之，女德莫過于貞，婦愆無甚于妒。古來貞女守節之事，自剪髮、斷臂，刺面、毁身，以至刎頸而止矣。近日失貞之婦，竟有封腸剖腹，自塗肝腦于貴人之庭以鳴不屈者；又有不持利器，談笑而終其身，若老衲高僧之坐化者。豈非五倫以内，自有變化不窮之事乎？古來妒婦制夫之條，自罰跪、戒眠、捧燈、戴水，以至撲臀而止矣。近日妒悍之流，竟有鎖門絶食，遷怒于人，使族黨避禍難前，坐視其死而莫之救者；又有鞭撲不加，囹圄不設，寬仁大度，若有刑措之風，而其夫懾于不怒之威，自遣其妾而歸化者。豈非閨閫以内，便有日异月新之事乎？此類繁多，不能枚舉。此言前人未見之事，後人見之，可備填詞製曲之用者也。即前人已見之事，盡有摹寫未盡之情，描畫不全之態。若能設身處地，伐隱攻微，彼泉下之人，自能效靈于我，授以生花之筆，假以蘊綉之腸，製爲雜劇，使人但賞極新極艷之詞，而竟忘其爲極腐極陳之事者。此爲最上一乘，予有志焉，而未之逮也。

審虛實

傳奇所用之事，或古或今，有虛有實，隨人拈取。古者，書籍所載，古人現成之事也；今者，耳目傳聞，當時僅見之事也；實者，就事敷陳，不假造作，有根有據之謂也；虛者，空中樓閣，隨意構成，無影無形之謂也。人謂古事多實，近事多虛。予曰：不然。傳奇無實，大半皆寓言耳。欲勸人爲孝，則舉一孝子出名，但有一行可紀，則不必盡有其事，凡屬孝親所應有者，悉取而加之，亦猶紂之不善，不如是之甚也，一居下流，天下之惡皆歸焉。其餘表忠表節，與種種勸人爲善之劇，率同于此。若謂古事皆實，則《西厢》、《琵琶》推爲曲中之祖，鶯鶯果嫁君瑞乎？蔡邕之餓莩其親，五娘之干蠱其夫，見于何書？果有實據乎？孟子云：『盡信書，不如無書。』蓋指《武成》而言也。經史且然，矧雜劇乎？凡閲傳奇而必考其事從何來、人居何地者，皆説夢之痴人，可以不答者也。然作者秉筆，又不宜盡作是觀。若紀目前之事，無所考究，則非特事迹可以幻生，并其人之姓名亦可以憑空捏造，是謂虚則虚到底也。若用往事爲題，以一古人出名，則滿場脚色皆用古人，捏一姓名不得；其人所行之事，又必本于載籍，班班可考，創一事實不得。非用古人姓字爲難，使與滿場脚色同時共事之爲難也；非查古人事實爲難，使與本等情由貫串合一之爲難也。予既謂傳奇無實，大半寓言，何以又云姓名事實必須有本？要知古人填古事易，今人填古事難。古人填古事，猶之今人填今事，非其不慮人考，無可考也；傳至于今，則其人其事，觀者爛熟于胸中，欺之不得，罔之不能，所以必求可據，是謂實則實到底也。若用一二古人作主，因無陪客，幻設姓名以代之，則虚不似虚，實不成實，詞家之醜態也，切忌犯之。

詞采第二

曲與詩餘，同是一種文字。古今刻本中，詩餘能佳而曲不能盡佳者，詩餘可選而曲不可選也。詩餘最短，每篇不過數十字，作者雖多，入選者不多，弃短取長，是以但見其美。曲文最長，每折必須數曲，每部必須數十折，非八斗長才，不能始終如一。微疵偶見者有之，瑕瑜并陳者有之，尚有踴躍于前、懈弛于後，不得已而爲狗尾貂續者亦有之。演者觀者既存此曲，衹得取其所長，恕其所短，首尾并録。無一部而删去數折、止存數折，一齣而抹去數曲、止存數曲之理。此戲曲不能盡佳，有爲數折可取而挈帶全篇，一曲可取而挈帶全折，使瓦缶與金石齊鳴者，職是故也。予謂既工此道，當如畫士之傳真，閨女之刺綉，一筆稍差便慮神情不似，一針偶缺即防花鳥變形。使全部傳奇之曲，得似詩餘選本如《花間》、《草堂》諸集，首首有可珍之句，句句有可寶之字，則不愧填詞之名，無論必傳，即傳之千萬年，亦非僥幸而得者矣。吾于古曲之中，取其全本不懈、多瑜鮮瑕者，惟《西厢》能之。《琵琶》則如漢高用兵，勝敗不一，其得一勝而王者，命也，非戰之力也。《荆》、《劉》、《拜》、《殺》之傳，則全賴音律。文章一道，置之不論可矣。

貴顯淺

曲文之詞采，與詩文之詞采非但不同，且要判然相反。何也？詩文之詞采，貴典雅而賤粗俗，宜蘊藉而忌分明。詞曲不然，話則本之街談巷議，事則取其直説明言。凡讀傳奇而有令人費解，或初閲不見其佳，深思而後得其意之所在者，便非絶妙好詞，不問而知爲今曲，非元曲也。元人非不讀書，而所製之曲，絶無一毫書本氣，以其有書而不用，非當用而無書也，後人之曲則滿紙皆書矣。元人非不深心，而所填之詞，皆覺過于淺近，以其深而出之以淺，非借淺以文其不深也，後人之詞則心口皆深矣。無論其他，即湯若士《還魂》一劇，世以配饗元人，宜也。問其精華所在，則以《驚夢》、《尋夢》二折對。予謂二折雖佳，猶是今曲，非元曲也。《驚夢》首句云：『梟晴絲，吹來閑庭院，摇漾春如綫。』以游絲一縷，逗起情絲，發端一語，即費如許深心，可謂慘淡經營矣。然聽歌《牡丹亭》者，百人之中有一二人解出此意否？若謂製曲初心并不在此，不過因所見以起興，則瞥見游絲，不妨直説，何須曲而又曲，由晴絲而説及春，由春與晴絲而悟其如綫也？若云作此原有深心，則恐索解人不易得矣。索解人既不易得，又何必奏之歌筵，俾雅人俗子同聞而共見乎？其餘『停半晌，整花鈿，没揣菱花，偷人半面』及『良辰美景奈何天，賞心樂事誰家院』，『遍青山，啼紅了杜鵑』等語，字字俱費經營，字字皆欠明爽。此等妙語，止可作文字觀，不得作傳奇觀。至如末幅『似蟲兒般蠢動，把風情扇』與『恨不得肉兒般團成片也，逗的個日下胭脂雨上鮮』，《尋夢》曲云『明放着白日青天，猛教人抓不到夢魂前』，『是這答兒壓黄金釧匾』……此等曲，則去元人不遠矣。而予最賞心者，不專在《驚夢》、《尋夢》二折，謂其心花筆蕊，散見于前後各折之中。《診祟》曲云：『看你春歸何處歸，春睡何曾睡，氣絲兒，怎度的長天日。』『夢去知他實實誰，病來祇送得個虚虚的你。做行雲，先渴倒在巫陽會。』『又不是困人天氣，中酒心期，魆魆的常如醉。』『承尊覷，何時何日，來看這女顔回？』《憶女》曲云：『地老天昏，没處把老娘安頓。』『你怎撇得下萬里無兒白髮親。』『賞春香還是你舊羅裙。』《玩真》曲云：『如愁欲語，祇少口氣兒呵。』『叫的你噴嚏似天花唾。動凌波，盈盈欲下，不見影兒那。』此等曲，則純乎元人，置之《百種》前後，幾不能辨，以其意深詞淺，全無一毫書本氣也。

若論填詞家宜用之書，則無論經傳子史以及詩賦古文，無一不當熟讀，即道家佛氏、九流百工之書，下至孩童所習《千字文》、《百家姓》，無一不在所用之中。至于形之筆端，落于紙上，則宜洗濯殆盡。亦偶有用着成語之處，點出舊事之時，妙在信手拈來，無心巧合，竟似古人尋我，并非我覓古人。此等造詣，非可言傳，祇宜多購元曲，寢食其中，自能爲其所化。而元曲之最佳者，不單在《西厢》、《琵琶》二劇，而在《元人百種》之中。《百種》亦不能盡佳，十有一二可列高、王之上，其不致家弦户誦，出與二劇争雄者，以其是雜劇而非全本，多北曲而少南音，又止可被諸管弦，不便奏之場上。今時所重，皆在彼而不在此，即欲不爲紈扇之捐，其可得乎？

重機趣

『機趣』二字，填詞家必不可少。機者，傳奇之精神；趣者，傳奇之風致。少此二物，則如泥人土馬，有生形而無生氣。因作者逐句湊成，遂使觀場者逐段記憶，稍不留心，則看到第二曲，不記頭一曲是何等情形，看到第二折，不知第三折要作何勾當。是心口徒勞，耳目俱澀，何必以此自苦，而復苦百千萬億之人哉？故填詞之中，勿使有斷續痕，勿使有道學氣。所謂無斷續痕者，非止一齣接一齣，一人頂一人，務使承上接下，血脉相連，即于情事截然絶不相關之處，亦有連環細笋伏于其中，看到後來方知其妙，如藕于未切之時，先長暗絲以待，絲于絡成之後，纔知作藕之精，此言機之不可少也。所謂無道學氣者，非但風流跌宕之曲、花前月下之情，當以板腐爲戒，即談忠孝節義與説悲苦哀怨之情，亦當抑聖爲狂，寓哭于笑，如王陽明之講道學，則得詞中三昧矣。陽明登壇講學，反復辨説『良知』二字，一愚人訊之曰：『請問「良知」這件東西，還是白的？還是黑的？』陽明曰：『也不白，也不黑，祇是一點帶赤的，便是良知了。』照此法填詞，則離合悲歡，嘻笑怒駡，無一語一字不帶機趣而行矣。予又謂填詞種子，要在性中帶來，性中無此，做殺不佳。人問：性之有無，何從辨識？予曰：不難，觀其説話行文，即知之矣。説話不迂腐，十句之中，定有一二句超脱，行文不板實，一篇之内，但有一二段空靈，此即可以填詞之人也。不則另尋別計，不當以有用精神，費之無益之地。噫，『性中帶來』一語，事事皆然，不獨填詞一節。凡作詩文書畫、飲酒鬥棋與百工技藝之事，無一不具夙根，無一不本天授。强而後能者，畢竟是半路出家，止可冒齋飯吃，不能成佛作祖也。

戒浮泛

詞貴顯淺之說，前已道之詳矣。然一味顯淺而不知分別，則將日流粗俗，求爲文人之筆而不可得矣。元曲多犯此病，乃矯艱深隱晦之弊而過焉者也。極粗極俗之語，未嘗不入填詞，但宜從脚色起見。如在花面口中，則惟恐不粗不俗，一涉生旦之曲，便宜斟酌其詞。無論生爲衣冠仕宦，旦爲小姐夫人，出言吐詞當有雋雅春容之度。即使生爲僕從，旦作梅香，亦須擇言而發，不與凈丑同聲。以生旦有生旦之體，凈丑有凈丑之腔故也。元人不察，多混用之。觀《幽閨記》之陀滿興福，乃小生脚色，初屈

後伸之人也。其《避兵》曲云：『遥觀巡捕卒，都是棒和槍。』此花面口吻，非小生曲也。均是常談俗語，有當用于此者，有當用于彼者。又有極粗極俗之語，止更一二字，或增减一二字，便成絶新絶雅之文者。神而明之，祇在一熟。當存其說，以俟其人。

填詞義理無窮，説何人，肖何人，議某事，切某事，文章頭緒之最繁者，莫填詞若矣。予謂總其大綱，則不出『情景』二字。景書所睹，情發欲言，情自中生，景由外得，二者難易之分，判如霄壤。以情乃一人之情，説張三要像張三，難通融于李四。景乃衆人之景，寫春夏盡是春夏，止分别于秋冬。善填詞者，當爲所難，勿趨其易。批點傳奇者，每遇游山玩水、賞月觀花等曲，見其止書所見、不及中情者，有十分佳處，祇好算得五分，

以風雲月露之詞，工者盡多，不從此劇始也。善咏物者，妙在即景生情。如前所云《琵琶·賞月》四曲，同一月也，牛氏有牛氏之月，伯喈有伯喈之月。所言者月，所寓者心。牛氏所説之月可移一句于伯喈，伯喈所説之月可挪一字于牛氏乎？夫妻二人之語，猶不可挪移混用，况他人乎？人謂此等妙曲，工者有幾，强人以所不能，是塞填詞之路也。予曰：不然。作文之事，貴于專一。專則生巧，散乃入愚；專則易于奏工，散者難于責效。百工居肆，欲其專也；衆楚群咻，喻其散也。捨情言景，不過圖其省力，殊不知眼前景物繁多，當從何處説起？咏花既愁遺鳥，賦月又想兼風。若使逐件鋪張，則慮事多曲少；欲以數言包括，又防事短情長。展轉推敲，已費心思幾許，何如祇就本人生發，自有欲爲之事，自有待説之情，念不旁分，妙理自出。如發科發甲之人，窗下作文，每日止能一篇二篇，場中遂至七篇。窗下之一篇二篇未必盡好，而場中之七篇，反能盡發所長，而奪千人之幟者，以其念不旁分，捨本題之外，并無别題可做，祇得走此一條路也。吾欲填詞家捨景言情，非責人以難，正欲其捨難就易耳。

忌填塞

填塞之病有三：多引古事，迭用人名，直書成句。其所以致病之由亦有三：借典核以明博雅，假脂粉以見風姿，取現成以免思索。而總此三病與致病之由之故，則在一語。一語維何？曰：從未經人道破；一經道破，則俗語云『説破不值半文錢』，再犯此病者鮮矣。古來填詞之家，未嘗不引古事，未嘗不用人名，未嘗不書現成之句，而所引所用與所書者，則有别焉：其事不取幽深，其人不搜隱僻，其句則采街談巷議。即有時偶涉詩書，亦係耳根聽熟之語，舌端調慣之文，雖出詩書，實與街談巷議無別者。總而言之，傳奇不比文章。文章做與讀書人看，故不怪其深；戲文做與讀書人與不讀書人同看，又與不讀書之婦人小兒同看，故貴淺不貴深。使文章之設，亦爲與讀書人、不讀書人及婦人小兒同看，則古來聖賢所作之經傳，亦祇淺而不深，如今世之爲小説矣。人曰：文人之作傳奇與著書無別，假此以見其才也，淺則才于何見？予曰：能于淺處見才，方是文章高手。施耐庵之《水滸》，王實甫之《西厢》，世人盡作戲文小説看，金聖嘆特標其名曰『五才子書』、『六才子書』者，其意何居？蓋憤天下之小視其道，不知爲古今來絶大文章，故作此等驚人語以標其目。噫，知言哉！

音律第三

作文之最樂者，莫如填詞，其最苦者，亦莫如填詞。填詞之樂，詳後《賓白》之第二幅，上天入地，作佛成仙，無一不隨意到，較之南面百城，洵有過焉者矣。至説其苦，亦有千態萬狀，擬之悲傷疾痛、桎梏幽囚諸逆境，殆有甚焉者。請詳言之。他種文字，隨人長短，聽我張弛，總無限定之資格。今置散體弗論，而論其分股、限字與調聲叶律者。分股則帖括時文是已。先破後承，始開終結，内分八股，股股相對，繩墨不爲不嚴矣；然其股法、句法，長短由人，未嘗限之以數，雖嚴而不謂之嚴也。限字則四六排偶之文是已。語有一定之字，字有一定之聲，對必同心，意難合掌，矩度不爲不肅矣；然止限以數，未定以位，止限以聲，未拘以格，上四下六可，上六下四亦未嘗不可，仄平平仄可，平仄仄平亦未嘗不可，雖肅而實未嘗肅也。調聲叶律，又兼分股限字之文，則詩中之近體是已。起句五言，則句句五言，起句七言，則句句七言，起句用某韻，則以下俱用某韻，起句第二字用平聲，則下句第二字定用仄聲，第三、第四又復顛倒用之，前人立法亦云苛且密矣。然起句五言，句句五言，起句七言，句句七言，便有成法可守。想入五言一路，則七言之句不來矣；起句用某韻，以下俱用某韻，起句第二字用平聲，下句第二字定用仄聲，則拈得平聲之韻，上去入三聲之韻皆可置之不問矣；守定平仄、仄平二語，再無變更，自一首以至千百首皆出一轍，保無朝更夕改之令，阻人適從矣。是其苛猶未甚，密猶未至也。至于填詞一道，則句之長短，字之多寡，聲之平上去入，韻之清濁陰陽，皆有一定不移之格。長者短一綫不能，少者增一字不得，又復忽長忽短，時少時多，令人把握不定。當平者平，用一仄字不得；當陰者陰，換一陽字不能。調得平仄成文，又慮陰陽反復；分得陰陽清楚，又與聲韻乖張。令人攪斷肺腸，煩苦欲絶。此等苛法，盡勾磨人。作者處此，但能布置得宜，安頓極妥，便是千幸萬幸之事，尚能計其詞品之低昂，文情之工拙乎？予襁褓識字，總角成篇，于詩書六藝之文，雖未精窮其義，然皆淺涉一過。總諸體百家而論之，覺文字之難，未有過于填詞者。予童而習之，于今老矣，尚未窺見一斑。祇以管窺蛙見之識，謬語同心；虚赤幟于詞壇，以待將來。作者能于此種艱難文字顯出奇能，字字在聲音律法之中，言言無資格拘攣之苦，如蓮花生在火上，仙叟弈于桔中，始爲盤根錯節之才，八面玲瓏之筆，壽名千古，衾影何慚！而千古上下之題品文藝者，看到傳奇一種，當易心換眼，别置典刑。要知此種文字作之可憐，出之不易，其楮墨筆硯非同己物，有如假自他人，耳目心思效用不能，到處爲人掣肘，非若詩賦古文，容其得意疾書，不受神牽鬼制者。七分佳處，便可許作十分，若到十分，即可敵他種文字之二十分矣。予非左袒詞家，實欲主持公道，如其不信，但請作者同拈一題，先作文一篇或詩一首，再作填詞一曲，試其孰難孰易，誰拙誰工，即知予言之不謬矣。然難易自知，工拙必須人辨。

詞曲中音律之壞，壞于《南西廂》。凡有作者，當以之爲戒，不當取之爲法。非止音律，文藝亦然。請詳言之。填詞除雜劇不論，止論全本，其文字之佳，音律之妙，未有過于《北西廂》者。自南本一出，遂變極佳者爲極不佳，極妙者爲極不妙。推其初意，亦有可原，不過因北本爲詞曲之豪，人人贊羡，但可被之管弦，不便奏諸場上，但宜于弋陽、四平等俗優，不便强施于昆調，以係北曲而非南曲也。兹請先言其故。北曲一折，止隸一人，雖有數人在場，其曲止出一口，從無互歌迭咏之事。弋陽、四平等腔，字多音少，一泄而盡，又有一人啓口，數人接腔者，名爲一人，實出衆口，故演《北西廂》甚易。昆調悠長，一字可抵數字，每唱一曲，又必一人始之，一人終之，無可助一臂者，以長江大河之全曲，而專責一人，即有銅喉鐵齒，其能勝此重任乎？此北本雖佳，吴音不能奏也。作《南西廂》者，意在補此缺陷，遂割裂其詞，增添其白，易北爲南，撰成此劇，亦可謂善用古人，喜傳佳事者矣。然自予論之，此人之于作者，可謂功之首而罪之魁矣。所謂功之首者，非得此人，則俗優競演，雅調無聞，作者苦心，雖傳實没。所謂罪之魁者，千金狐腋，剪作鴻毛，一片精金，點成頑鐵。若是者何？以其有用古之心而無其具也。今之觀演此劇者，但知關目動人，詞曲悦耳，亦曾細嘗其味、深繹其詞乎？使讀書作古之人，取《西廂》南本一閲，句櫛字比，未有不廢卷掩鼻，而怪穢氣熏人者也。若曰：詞曲情文不浹，以其就北本增刪，割彼湊此，自難帖合，雖有才力無所施也。然則賓白之文，皆由己作，并未依傍原本，何以有才不用，有力不施，而爲俗口鄙惡之談，以穢聽者之耳乎？且曲文之中，盡有不就原本增刪，或自填一折以補原本之缺略，自撰一曲以作諸曲之過文者，此則束縛無人，操縱由我，何以有才不用，有力不施，亦作勉强支吾之句，以混觀者之目乎？使王實甫復生，看演此劇，非狂叫怒罵，索改本而付之祝融，即痛哭流涕，對原本而悲其不幸矣。嘻！續《西廂》者之才，去作《西廂》者，止争一間，觀者群加非議，謂《驚夢》以後諸曲，有如狗尾續貂。以彼之才，較之作《南西廂》者，豈特奴婢之于郎主，直帝王之視乞丐！乃今之觀者，彼施責備，而此獨包容，已不可解；且令家尸户祝，居然配饗《琵琶》，非特實甫呼冤，且使則誠號屈矣！予生平最惡弋陽、四平等劇，見

則趨而避之，但聞其搬演《西廂》，則樂觀恐後。何也？以其腔調雖惡，而曲文未改，仍是完全不破之《西廂》，非改頭换面、折手跛足之《西廂》也。南本則聾瞽、喑啞、馱背、折腰諸惡狀，無一不備于身矣。此但責其文詞，未究音律。從來詞曲之旨，首嚴宫調，次及聲音，次及字格。九宫十三調，南曲之門户也。小齣可以不拘，其成套大曲，則分門别户，各有依歸，非但彼此不可通融，次第亦難紊亂。此劇祇因改北成南，遂變盡詞場格局：或因前曲與前曲字句相同，後曲與後曲體段不合，遂向别宫别調隨取一曲以聯絡之，此宫調之不能盡合也；或彼曲與此曲牌名巧湊，其中但有一二句字數不符，如其可增可減，即增減就之，否則任其多寡，以解補湊不來之厄，此字格之不能盡符也；至于平仄陰陽與逐句所叶之韵，較此二者其難十倍，誅之將不勝誅，此聲音之不能盡叶也。詞家所重在

此三者，而三者之弊，未嘗缺一，能使天下相傳，久而不廢，豈非咄咄怪事乎？更可异者，近日詞人因其熟于梨園之口，習于觀者之目，謂此曲第一當行，可以取法，用作曲譜；所填之詞，凡有不合成律者，他人執而訊之，則曰：『我用《南西廂》某折作對子，如何得錯！』噫，玷《西廂》名目者此人，壞詞場矩度者此人，誤天下後世之蒼生者，亦此人也。此等情弊，予不急爲拈出，則《南西廂》之流毒，當至何年何代而已乎！

向在都門，魏貞庵相國取崔鄭合葬墓志銘示予，命予作《北西廂》翻本，以正從前之謬。予謝不敏，謂天下已傳之書，無論是非可否，悉宜聽之，不當奮其死力與較短長。較之而非，舉世起而非我；即較之而是，舉世亦起而非我。何也？貴遠賤近，慕古薄今，天下之通情也。誰肯以千古不朽之名人，抑之使出時流下？彼文足以傳世，業有明徵；我力足以降人，尚無實據。以無據敵有徵，其敗可立見也。時龔芝麓先生亦在座，與貞庵相國均以予言爲然。向有一人欲改《北西廂》，又有一人欲續《水滸傳》，同商于予。予曰：『《西廂》非不可改，《水滸》非不可續，然無奈二書已傳，萬口交贊，其高踞詞壇之座位，業如泰山之穩，磐石之固，欲遽叱之使起而讓席于予，此萬不可得之數也。無論所改之《西廂》，所續之《水滸》，未必可繼後塵，即使高出前人數倍，吾知舉世之人不約而同，皆以「續貂蛇足」四字，爲新作之定評矣。』二人唯唯而去。此予由衷之言，向以誡人，而今不以之繩己，動數前人之過者，其意何居？曰：存其是也。放鄭聲者，非仇鄭聲，存雅樂也；辟异端者，非仇异端，存正道也；予之力斥《南西廂》，非仇《南西廂》，欲存《北西廂》之本來面目也。若謂前人盡不可議，前書盡不可毁，則楊朱、墨翟亦是前人，鄭聲未必無底本，有之亦是前書，何以古聖賢放之辟之，不遺餘力哉？予又謂《北西厢》不可改，《南西厢》則不可不翻。何也？世人喜觀此劇，非故嗜痂，因此劇之外別無善本，欲睹崔張舊事，捨此無由。地乏朱砂，赤土爲佳，《南西厢》之得以浪傳，職是故也。使得一人焉，起而痛反其失，別出新裁，創爲南本，師實甫之意，而不必更襲其詞，祖漢卿之心，而不獨僅續其後，若與《北西厢》角勝爭雄，則可謂難之又難。若止與《南西厢》賭長較短，則猶恐屑而不屑。予雖乏才，請當斯任，救飢有暇，當即拈毫。

《南西厢》翻本既不可無，予又因此及彼，而有志于《北琵琶》一劇。蔡中郎夫婦之傳，既以《琵琶》得名，則『琵琶』二字乃一篇之主，而當年作者何以僅標其名，不見拈弄其實？使趙五娘描容之後，果然身背琵琶，往別張大公，彈出北曲哀聲一大套，使觀者聽者涕泗橫流，豈非《琵琶記》中一大暢事？而當年見不及此者，豈元人各有所長，工南詞者不善製北曲耶？使王實甫作《琵琶》，吾知與千載後之李笠翁必有同心矣。予雖乏才，亦不敢不當斯任。向填一折付優人，補則誠原本之不逮，兹已附入四卷之末，尚思擴爲全本，以備詞人采擇，如其可用，譜爲弦索新聲。若是，則《南西厢》、《北琵琶》二書可以并行。雖不敢望追踪前哲，并轡時賢，但能保與自手所填諸曲（如已經行世之前後八種，及已填未刻之内外八種）合而較之，必有淺深疏密之分矣。然著此二書，必須杜門纍月，竊恐飢來驅人，勢不由我。安得雨珠雨粟之天，爲數十口家人籌生計乎？傷哉！貧也。

恪守詞韵

一齣用一韵到底，半字不容出入，此爲定格。舊曲韵雜出入無常者，因其法制未備，原無成格可守，不足怪也。既有《中原音韵》一書，則猶畛域畫定，寸步不容越矣。常見文人製曲，一折之中，定有一二出韵之字，非曰明知故犯，以偶得好句不在韵中，而又不肯割愛，故勉强入之，以快一時之目者也。杭有才人沈孚中者，所製《綰春園》、《息宰河》二劇，不施浮采，純用白描，大是元人後勁。予初閲時，不忍釋卷，及考其聲韵，則一無定軌，不惟偶犯數字，竟以寒山、桓歡二韵，合爲一處用之，又有以支思、齊微、魚模三韵并用者，甚至以真文、庚青、侵尋三韵，不論開口閉口，同作一韵用者。長于用才而短于擇術，致使佳調不傳，殊可痛惜！夫作詩填詞同一理也。未有沈休文詩韵以前，大同小异之韵，或可叶入詩中。既有此書，即三百篇之風人復作，亦當俯就範圍。李白詩仙，杜甫詩聖，其才豈出沈約下，未聞以才思縱横而躍出韵外，况其他乎？設有一詩于此，言言中的，字字驚人，而以一東二冬并叶，或三江七陽互施，吾知司選政者，必加擯黜，豈有以才高句美而破格收之者乎？詞家繩墨，祗在《譜》、《韵》二書，合譜合韵，方可言才，不則八斗難克升合，五車不敵片紙，雖多雖富，亦奚以爲？

凛遵曲譜

曲譜者，填詞之粉本，猶婦人刺綉之花樣也，描一朵，刺一朵，畫一葉，綉一葉，拙者不可稍减，巧者亦不能略增。然花樣無定式，盡可日异月新，曲譜則愈舊愈佳，稍稍趨新，則以毫厘之差而成千里之謬。情事新奇百出，文章變化無窮，總不出譜内刊成之定格。是束縛文人而使有才不得自展者，曲譜是也；私厚詞人而使有才得以獨展者，亦曲譜是也。使曲無定譜，亦可日异月新，則凡屬淹通文藝者，皆可填詞，何元人、我輩之足重哉？『依樣畫葫蘆』一語，竟似爲填詞而發。妙在依樣之中，別出好歹，稍有一綫之出入，則葫蘆體樣不圓，非近于方，則類乎扁矣。葫蘆豈易畫者哉！明朝三百年，善畫葫蘆者，止有湯臨川一人，而猶有病其聲韵偶乖，字句多寡之不合者。甚矣，畫葫蘆之難，而一定之成樣不可擅改也。

曲譜無新，曲牌名有新。蓋詞人好奇嗜巧，而又不得展其伎倆，無可奈何，故以二曲三曲合爲一曲，熔鑄成名，如《金索挂梧桐》、《傾杯賞芙蓉》、《倚馬待風雲》之類是也。此皆老于詞學、文人善歌者能之，不則上調不接下調，徒受歌者揶揄。然音調雖協，亦須文理貫通，始可串離使合。如《金絡索》、《梧桐樹》是兩曲，串爲一曲，而名曰《金索挂梧桐》，以金索挂樹，是情理所有之事也。《傾杯序》、《玉芙蓉》是兩曲，串爲一曲，而名曰《傾杯賞芙蓉》，傾杯酒而賞芙蓉，雖係捏成，猶口頭語也。《駐馬聽》、《一江風》、《駐雲飛》是三曲，串爲一曲，而名曰《倚馬待風雲》，倚馬而待風雲之會，此語即入詩文中，亦自成句。凡此皆係有倫有脊之言，雖巧而不厭其巧。竟有祇顧串合，不詢文義之通塞，事理之有無，生扭數字作曲名者，殊失顧名思義之體，反不若前人不列名目，祇以『犯』字加之。如本曲《江兒水》而串入二别曲，則曰《二犯江兒水》；本曲《集賢賓》而串入三别曲，則曰《三犯集賢賓》。又有以『攤破』二字概之者，如本曲《簇御林》、本曲《地錦花》而串入别曲，則曰《攤破簇御林》、《攤破地錦花》之類，何等渾然，何等藏拙。更有以十數曲串爲一曲而標以總名，如《六犯清音》、《七賢過關》、《九回腸》、《十二峰》之類，更覺渾雅。予謂串舊作新，終是填詞末着。祇求文字好，音律正，即牌名舊殺，終覺新奇可喜。

如以極新極美之名，而填以庸腐乖張之曲，誰其好之？善惡在實，不在名也。

魚模當分

詞曲韻書，止靠《中原音韻》一種，此係北韻，非南韻也。十年之前，武林陳次升先生欲補此缺陷，作《南詞音韻》一書，工垂成而復輟，殊爲可惜。予謂南韻深渺，卒難成書。填詞之家即將《中原音韻》一書，就平上去三音之中，抽出入聲字，另爲一聲，私置案頭，亦可暫備南詞之用。然此猶可緩。更有急于此者，則魚模一韻，斷宜分別爲二。魚之與模，相去甚遠，不知周德清當日何故比而同之，豈仿沈休文詩韻之例，以元、繁、孫三韻，合爲十三元之一韻，必欲于純中示雜，以存『大音希聲』之一綫耶？無論一曲數音，聽到歇脚處，覺其散漫無歸，即我輩置之案頭，自作文字讀，亦覺字句聱牙，聲韻逆耳。儻有詞學專家，欲其文字與聲音媲美者，當令魚自魚而模自模，兩不相混，斯爲極妥。即不能全出皆分，或每曲各爲一韻，如前曲用魚，則用魚韻到底，後曲用模，則用模韻到底，猶之一詩一韻，後不同前，亦簡便可行之法也。自愚見推之，作詩用韻，亦當仿此。另鈔元字一韻，區別爲三，拈得十三元者，首句用元，則用元韻到底，凡涉繁、孫二韻者勿用。拈得繁、孫者亦然。出韻則犯詩家之忌，未有以用韻太嚴而反來指謫者也。

廉監宜避

侵尋、監咸、廉纖三韻，同屬閉口之音，而侵尋一韻，較之監咸、廉纖，獨覺稍异。每至收音處，侵尋閉口，而其音猶帶清亮，至監咸、廉纖二韻，則微有不同。此二韻者，以作急板小曲則可，若填悠揚大套之詞，則宜避之。《西厢》『不念《法華經》，不理《梁王懺》』一折用之者，以出惠明口中，聲口恰相合耳。此二韵宜避者，不止單爲聲音，以其一韵之中，可用者不過數字，餘皆險僻艱生，備而不用者也。若惠明曲中之『揝』字、『攙』字、『燂』字、『臢』字、『餡』字、『蘸』字、『颭』字，惟惠明可用，亦惟才大如天之王實甫能用，以第二人作《西厢》，即不敢用此險韵矣。初學填詞者不知，每于一折開手處，誤用此韵，致累全篇無好句；又有作不終篇，弃去此韵而另作者，失計妨時。故用韵不可不擇。

拗句難好

音律之難，不難于鏗鏘順口之文，而難于倔强聱牙之句。鏗鏘順口者，如此字聲韵不合，隨取一字换之，縱横順逆，皆可成文，何難一時數曲。至于倔强聱牙之句，即不拘音律，任意揮寫，尚難見才，况有清濁陰陽，及明用韵，暗用韵，又斷斷不宜用韵之成格，死死限在其中乎？詞名之最易填者，如《皂羅袍》、《醉扶歸》、《解三酲》、《步步嬌》、《園林好》、《江兒水》等曲，韵脚雖多，字句雖有長短，然讀者順口，作者自能隨筆。即有一二句宜作拗體，亦如詩内之古風，無才者處此，亦能勉力見才。至如《小桃紅》、《下山虎》等曲，則有最難下筆之句矣。《幽閨記·小桃紅》之中段云：『輕輕將袖兒掀，露春纖，盞兒拈，低嬌面也。』每句祇三字，末字叶韵；而每句之第二字，又斷該用平，不可犯仄。此等處，似難而尚未盡難。其《下山虎》云：『大人家體面，委實多般，有眼何曾見！懶能向前，弄盞傳杯，恁般腼腆。這裏新人忒殺虔，待推怎地展？主婚人，不見憐，配合夫妻，事事非偶然。好惡姻緣總在天。』祇須『懶能向前』、『待推怎地展』、『事非偶然』之三句，便能攬斷詞腸。『懶能向前』、『事非偶然』

二句，每句四字，兩平兩仄，末字叶韻。『待推怎地展』一句五字，末字叶韻，五字之中，平居其一，仄居其四。此等拗句，如何措手？南曲中此類極多，其難有十倍于此者，若逐個牌名援引，則不勝其繁，而觀者厭矣；不引一二處定其難易，人又未必盡曉；茲衹隨拈舊詩一句，顛倒聲韻以喻之。如『雲淡風輕近午天』，此等句法自然容易見好，若變爲『風輕雲淡近午天』，則雖有好句，不奪目矣。況『風輕雲淡近午天』七字之中，未必言言合律，或是陰陽相左，或是平仄尚乖，必須再易數字，始能合拍。或改爲『風輕雲淡午近天』，或又改爲『風輕午近雲淡天』，此等句法，揆之音律則或諧矣，若以文理繩之，尚得名爲詞曲乎？海内觀者，肯曰此句爲音律所限，自難求工，姑爲體貼人情之善念而恕之乎？曰：不能也。既曰不能，則作者將删去此句而不作乎？抑自創一格而暢我所欲言乎？曰：亦不能也。然則攻此道者，亦甚難矣！

變難成易，其道何居？曰：有一方便法門，詞人或有行之者，未必盡有知之者。行之者偶然合拍，如路逢故人，出之不意，非我知其在路而往投之也。凡作倔强聱牙之句，不合自造新言，衹當引用成語。成語在人口頭，即稍更數字，略變聲音，念來亦覺順口。新造之句，一字聱牙，非止念不順口，且令人不解其意。今亦隨拈一二句試之。如『柴米油鹽醬醋茶』，口頭語也，試變爲『油鹽柴米醬醋茶』，或再變爲『醬醋油鹽柴米茶』，未有不明其義、不辨其聲者。『東邊日出西邊雨，道是無情却有情』，口頭語也，試將上句變爲『日出東邊西邊雨』，下句變爲『道是有情却無情』，亦未有不明其義、不辨其聲音。若使新造之言而作此等拗句，則幾與海外方言無别，必經重譯而後知之矣。即取前引《幽閨》之二句，定其工拙。

『懶能向前』、『事非偶然』二句，皆拗體也。『懶能向前』一句，係作者新情，此句便覺生澀，讀不順口；『事非偶然』一句，係家常俗語，此句便覺自然，讀之溜亮。豈非用成語易工、作新句難好之驗乎？予作傳奇數十種，所謂『三折肱爲良醫』，此折肱語也。因覓知音，盡傾肝膈。孔子云：『益者三友：友直，友諒，友多聞。』多聞，吾不敢居，謹自呼爲直諒。

合韻易重

句末一字之當叶者，名爲韻脚。一曲之中，有幾韻脚，前後各别，不可犯重。此理誰不知之？誰其犯之？所不盡知而易犯者，惟有『合前』數句。兹請先言合前之故。同一牌名而爲數曲者，止于首祇列名其後，在南曲則曰『前腔』，在北曲則曰『麽篇』，猶詩題之有其二、其三、其四也。末後數語，在前後各别者，有前後相同，不復另作，名爲『合前』者。此雖詞人躲懶法，然付之優人，實有二便：初學之時，少讀數句新詞，省費幾番記憶，一便也；登場之際，前曲各人分唱，合前之曲必通場合唱，既省精神，又不寂寞，二便也。然合前之韻脚最易犯重。何也？大凡作首曲，則知查韻，用過之字不肯復用，迨做到第二、三曲，則止圖省力，但做前詞，不顧後語，置合前數句于度外，謂前曲已有，不必費心，而烏知此數句之韻脚在前曲則語語各别，湊入此曲，焉知不有偶合者乎？故作前腔之曲，而有合前之句者，必將末後數句之韻脚緊記在心，不可復用；作完之後，又必再查，始能不犯此病。此就韻脚而言也。韻脚犯重，猶是小病，更有大于此者，則在詞意與人不相合。何也？合前之曲既使同唱，則此數句之詞意必有同情。如生旦净丑四人在場，生旦之意如是，净丑之意亦如是，即可謂之同情，即可使之同唱；若生旦如是，净丑未盡如是，則兩情不一，已無同唱之理；況有生旦如是，净丑必不如是，則豈有相反之曲而同唱者乎？此等關竅，若不經人道破，則填詞之家既顧陰陽平仄，又調角徵宮商，心緒萬端，豈能復籌及此？予作是編，其于詞學之精微，則萬不得一，如此等粗淺之論，則可謂知無不言，言無不盡者矣。後來作者，當錫予一字，命曰『詞奴』，以其爲千古詞人，嘗效紀綱奔走之力也。

慎用上聲

平上去入四聲，惟上聲一音最別。用之詞曲，較他音獨低，用之賓白，又較他音獨高。填詞者每用此聲，最宜斟酌。此聲利于幽静之詞，不利于發揚之曲；即幽静之詞，亦宜偶用、間用，切忌一句之中連用二三四字。蓋曲到上聲字，不求低而自低，不低則此字唱不出口。如十數字高而忽

有一字之低，亦覺抑揚有致；若重複數字皆低，則不特無音，且無曲矣。至于發揚之曲，每到吃緊關頭，即當用陰字，而易以陽字尚不發調，況爲上聲之極細者乎？予嘗謂物有雌雄，字亦有雌雄。平去入三聲以及陰字，乃字與聲之雄飛者也；上聲及陽字，乃字與聲之雌伏者也。此理不明，難于製曲。初學填詞者，每犯抑揚倒置之病，其故何居？正爲上聲之字入曲低，而入白反高耳。詞人之能度曲者，世間頗少。其握管捻髭之際，大約口内吟哦，皆同説話，每逢此字，即作高聲；且上聲之字出口最高，入耳極清，因其高而且清，清而且亮，自然得意疾書。孰知唱曲之道與此相反，念來高者，唱出反低，此文人妙曲利于案頭，而不利于場上之通病也。非笠翁爲千古痴人，不分一毫人我，不留一點渣滓者，孰肯盡出家私底藴，以博慷慨好義之虚名乎？

少填入韵

入聲韵脚，宜于北而不宜于南。以韵脚一字之音，較他字更須明亮，北曲止有三聲，有平上去而無入，用入聲字作韵脚，與用他聲無异也。南曲四聲俱備，遇入聲之字，定宜唱作入聲，稍類三音，即同北調矣。以北音唱南曲可乎？予每以入韵作南詞，隨口念來，皆似北調，是以知之。若填北曲，則莫妙于此，一用入聲，即是天然北調。然入聲韵脚，最易見才，而又最難藏拙。工于入韵，即是詞壇祭酒。以入韵之字，雅馴自然者少，粗俗倔强者多。填詞老手，用慣此等字樣，始能點鐵成金。淺乎此者，運用不來，熔鑄不出，非失之太生，則失之太鄙。但以《西廂》、《琵琶》二劇較其短長。作《西廂》者，工于北調，用入韵是其所長。如《鬧會》曲中『二月春雷響殿角』，『早成就了幽期密約』，『内性兒聰明，冠世才學；扭捏着身子，百般做作』。『角』字，『約』字，『學』字，『作』字，何等雅馴！何等自然！《琵琶》工于南曲，用入韵是其所短。如《描容》曲中『兩處堪悲，萬愁怎摸』。愁是何物，而可摸乎？入聲韵脚宜北不宜南之論，蓋爲初學者設，久于此道而得三昧者，則左之右之，無不宜之矣。

别解務頭

填詞者必講『務頭』，然務頭二字，千古難明。《嘯餘譜》中載《務頭》一卷，前後臚列，豈止萬言，究竟務頭二字，未經説明，不知何物。止于卷尾開列諸舊曲，以爲體樣，言某曲中第幾句是務頭，其間陰陽不可混用，去上、上去等字，不可混施。若迹此求之，則除却此句之外，其平仄陰陽，皆可混用混施而不論矣。又云某句是務頭，可施俊語于其上。若是，則一曲之中，止該用一俊語，其餘字句皆可潦草塗鴉，而不必計其工拙矣。予謂立言之人，與當權秉軸者無异。政令之出，關乎從違，斷斷可從，而後使民從之，稍背于此者，即在當違之列。鑿鑿能信，始可發令，措詞又須言之極明，論之極暢，使人一目了然。今單提某句爲務頭，謂陰陽平仄，斷宜加嚴，俊語可施于上。此言未嘗不是，其如舉一廢百，當從者寡，當違者衆，是我欲加嚴，而天下之法律反從此而寬矣。况又囁嚅其詞，吞多吐少，何所取義而稱爲務頭，絶無一字之詮釋。然則『葫蘆提』三字，何以服天下？吾恐狐疑者讀之，愈重其狐疑，明了者觀之，頓喪其明了，非立言之善策也。予謂務頭二字，既然不得其解，祇當以不解解之。曲中有務頭，猶棋中有眼，有此則活，無此則死。進不可戰，退不可守者，無眼之棋，死棋也；看不動情，唱不發調者，無務頭之曲，死曲也。一曲有一曲之務頭，一句有一句之務頭。字不聱牙，音不泛調，一曲中得此一句，即使全曲皆靈，一句中得此一二字，即使全句皆健者，務頭也。由此推之，則不特曲有務頭，詩詞歌賦以及舉子業，無一不有務頭矣。人亦照譜按格，發舒性靈，求爲一代之傳書而已矣，豈得爲謎語欺人者所惑，而阻塞詞源，使不得順流而下乎？

賓白第四

自來作傳奇者，止重填詞，視賓白爲末着，常有『白雪陽春』其調，而『巴人下里』其言者，予竊怪之。原其所以輕此之故，殆有説焉。元以填詞擅長，名人所作，北曲多而南曲少。北曲之介白者，每折不過數言，即抹去賓白而止閲填詞，亦皆一氣呵成，無有斷續，似并此數言亦可略而不備者。由是觀之，則初時止有填詞，其介白之文，未必不係後來添設。在元人，則以當時所重不在于此，是以輕之。後來之人，又謂元人尚在不重，我輩工此何爲？遂不覺日輕一日，而竟置此道于不講也。予則不然。嘗謂曲之有白，就文字論之，則猶經文之于傳注；就物理論之，則如棟梁之于榱桷；就人身論之，則如肢體之于血脉，非但不可相無，且覺稍有不稱，即因此賤彼，竟作無用觀者。故知賓白一道，當與曲文等視，有最得意之曲文，即當有最得意之賓白，但使筆酣墨飽，其勢自能相生。常有因得一句好白，而引起無限曲情，又有因填一首好詞，而生出無窮話柄者。是文與文自相觸發，我止樂觀厥成，無所容其思議。此係作文恒情，不得幽渺其説，而作化境觀也。

聲務鏗鏘

賓白之學，首務鏗鏘。一句聱牙，俾聽者耳中生棘；數言清亮，使觀者倦處生神。世人但以音韵二字用之曲中，不知賓白之文，更宜調聲協律。世人但知四六之句平間仄，仄間平，非可混施迭用，不知散體之文亦復如是。『平仄仄平平仄仄，仄平平仄仄平平』二語，乃千古作文之通訣，無一語一字可廢聲音者也。如上句末一字用平，則下句末一字定宜用仄，連用二平，則聲帶喑啞，不能聳聽。下句末一字用仄，則接此一句之上句，其末一字定宜用平，連用二仄，則音類咆哮，不能悦耳。此言通篇之大較，非逐句逐字皆然也。能以作四六平仄之法，用于賓白之中，則字字鏗鏘，人人樂聽，有『金聲擲地』之評矣。

聲務鏗鏘之法，不出平仄、仄平二語是已。然有時連用數平，或連用數仄，明知聲欠鏗鏘，而限于情事，欲改平爲仄，改仄爲平，而决無平聲仄聲之字可代者。此則千古詞人未窮其秘，予以探驪覓珠之苦，入萬丈深潭者，既久而後得之，以告同心。雖示無私，然未免可惜。字有四聲，平上去入是也。平居其一，仄居其三，是上去入三聲皆麗于仄。而不知上之爲聲，雖與去入無异，而實可介于平仄之間，以其别有一種聲音，較之于平則略高，比之去入則又略低。古人造字審音，使居平仄之介，明明是一過文，由平至仄，從此始也。譬如四方聲音，到處各别，吴有吴音，越有越語，相去不啻天淵，而一至接壤之處，則吴越之音相半，吴人聽之覺其同，越人聽之亦不覺其异。晋、楚、燕、秦以至黔、蜀，在在皆然。此即聲音之過文，猶上聲介于平去入之間也。作賓白者，欲求聲韵鏗鏘，而限于情事，求一可代之字而不得者，即當用此法以濟其窮。如兩句三句皆平，或兩句三句皆仄，求一可代之字而不得，即用一上聲之字介乎其間，以之代平可，以之代去入亦可。如兩句三句皆平，間一上聲之字，則其聲是仄，不必言矣；即兩句三句皆去聲入聲，而間一上聲之字，則其字明明是仄而却似平，令人聽之不知其爲連用數仄者。此理可解而不可解，此法可傳而實不當傳，一傳之後，則遍地金聲，求一瓦缶之鳴而不可得矣。

語求肖似

文字之最豪宕，最風雅，作之最健人脾胃者，莫過填詞一種。若無此種，幾于悶殺才人，困死豪杰。予生憂患之中，處落魄之境，自幼至長，自長至老，總無一刻舒眉，惟于製曲填詞之頃，非但鬱藉以舒，慍爲之解，且嘗僭作兩間最樂之人，覺富貴榮華，其受用不過如此，未有真境之爲所欲爲，能出幻境縱横之上者。我欲做官，則頃刻之間便臻榮貴；我欲致仕，則轉盼之際又入山林；我欲作人間才子，即爲杜甫、李白之後身；我欲娶絶代佳人，即作王嬙、西施之元配；我欲成仙作佛，則西天、蓬島即在硯池筆架之前；我欲盡孝輸忠，則君治親年，可躋堯、舜、彭籛之上。非若他種文字，欲作寓言，必須遠引曲譬，蘊藉包含，十分牢騷，還須留住六七分，八斗才學，止可使出二三升，稍欠和平，略施縱送，即謂失風人之旨，犯佻達之嫌，求爲家弦户誦者難矣。填詞一家，則惟恐其蓄而不言，言之不盡。是則是矣，須知暢所欲言亦非易事。言者，心之聲也，欲代此一人立言，先宜代此一人立心，若非夢往神游，何謂設身處地？無論立心端正者，我當設身處地，代生端正之想；即遇立心邪辟者，我亦當捨經從權，暫爲邪辟之思。務使心曲隱微，隨口唾出，說一人，肖一人，勿使雷同，弗使浮泛，若《水滸傳》之叙事，吴道子之寫生，斯稱此道中之絶技。果能若此，即欲不傳，其可得乎？

詞別繁減

傳奇中賓白之繁，實自予始。海内知我者與罪我者半。知我者曰：從來賓白作說話觀，隨口出之即是，笠翁賓白當文章做，字字俱費推敲。從來賓白祇要紙上分明，不顧口中順逆，常有觀刻本極其透徹，奏之場上便覺糊塗者，豈一人之耳目，有聰明聾聵之分乎？因作者祇顧揮毫，并未設身處地，既以口代優人，復以耳當聽者，心口相維，詢其好說不好說，中聽不中聽，此其所以判然之故也。笠翁手則握筆，口却登場，全以身代梨園，復以神魂四繞，考其關目，試其聲音，好則直書，否則擱筆，此其所以觀聽咸宜也。罪我者曰：填詞既曰『填詞』，即當以詞爲主；賓白既名『賓白』，明言白乃其賓，奈何反主作客，而犯樹大于根之弊乎？笠翁曰：始作俑者，實實爲予，責之誠是也。但其敢于若是，與其不得不若是者，則均有說焉。請先白其不得不若是者。前人賓白之少，非有一定當少之成格。蓋彼祇以填詞自任，留餘地以待優人，謂引商刻羽我爲政，飾聽美觀彼爲政，我以約略數言，示之以意，彼自能增益成文。如今世之演《琵琶》、《西廂》、《荆》、《劉》、《拜》、《殺》等曲，曲則仍之，其間賓白、科諢等事，有幾處合于原本，以寥寥數言塞責者乎？且作新與演舊有别。《琵琶》、《西廂》、《荆》、《劉》、《拜》、《殺》等曲，家弦户誦已久，童叟男婦皆能備悉情由，即使一句賓白不道，止唱曲文，觀者亦能默會，是其賓白繁減可不問也。至于新演一劇，其間情事，觀者茫然；詞曲一道，止能傳聲，不能傳情。欲觀者悉其顛末，洞其幽微，單靠賓白一着。予非不圖省力，亦留餘地以待優人。但優人之中，智愚不等，能保其增益成文者悉如作者之意，毫無贅疣蛇足于其間乎？與其留餘地以待增，不若留餘地以待減，減之不當，猶存作者深心之半，猶病不服藥之得中醫也。此予不得不若是之故也。至其敢于若是者，則謂千古文章，總無定格，有創始之人，即有守成不變之人；有守成不變之人，即有大仍其意，小變其形，自成一家而不顧天下非笑之人。古來文字之正變爲奇，奇翻爲正者，不知凡幾，吾不具論，止以多寡增益之數論之。《左傳》、《國語》，紀事之書也，每一事不過數行，每一語不過數字，初時未病其少；迨班固之作《漢書》，司馬遷之爲《史記》，亦紀事之書也，遂益數行爲數十百行，數字爲數十百字，豈有病其過多，而廢《史記》、《漢書》于不讀者乎？此言少之可變爲多也。詩之爲道，當日但有古風，古風之體，多則數十百句，少亦十數句，初時亦未病其多；迨近體一出，則約數十百句爲八句，絶句一出，又斂八句爲四句，豈有病其漸少，而選詩之家止載古風，删近體絶句于不録者乎？此言多之可變爲少也。總之，文字短長，視其人之筆性。筆性遒勁者，不能强之使長；筆性縱肆者，不能縮之使短。文患不能長，又患其可以不長而必欲使之長。如其能長而又使人不可删逸，則雖爲賓白中之古風《史》《漢》，亦何患哉？予則烏能當此，但爲糠秕之導，以俟後來居上之人。

予之賓白，雖有微長，然初作之時，竿頭未進，常有當儉不儉，因留餘幅以俟剪裁，遂不覺流爲散漫者。自今觀之，皆吴下阿蒙手筆也。如其天假以年，得于所傳十種之外，别有新詞，則能保爲犬夜鷄晨，鳴乎其所當鳴，默乎其所不得不默者矣。

字分南北

北曲有北音之字，南曲有南音之字，如南音自呼爲『我』，呼人爲『你』，北音呼人爲『您』，自呼爲『俺』爲『咱』之類是也。世人但知曲内宜分，烏知白隨曲轉，不應兩截。此一折之曲爲南，則此一折之白悉用南音之字；此一折之曲爲北，則此一折之白悉用北音之字。時人傳奇多有混用者，即能間施于净丑，不知加嚴于生旦；此能分用于男子，不知區别于婦人。以北字近于粗豪，易入剛勁之口，南音悉多嬌媚，便施窈窕之人。殊不知聲音駁雜，俗語呼爲『兩頭蠻』，説話且然，况登場演劇乎？此論爲全套南曲、全套北曲者言之，南北相間，如《新水令》、《步步嬌》之類，則在所不拘。

文貴潔净

白不厭多之説，前論極詳，而此復言潔净。潔净者，簡省之别名也。潔則忌多，减始能净，二説不無相悖乎？曰：不然。多而不覺其多者，多即是潔；少而尚病其多者，少亦近蕪。予所謂多，謂不可删逸之多，非唱沙作米、强鳧變鶴之多也。作賓白者，意則期多，字惟求少，愛雖難割，嗜亦宜專。每作一段，即自删一段，萬不可删者始存，稍有可削者即去。此言逐出初填之際，全稿未脱之先，所謂慎之于始也。然我輩作文，常有人以爲非，而自認作是者；又有初信爲是，而後悔其非者。文章出自己手，無一非佳；詩賦論其初成，無語不妙。迨易日經時之後，取而觀之，則妍媸好醜之間，非特人能辨别，我亦自解雌黄矣。此論雖説填詞，實各種詩文之通病，古今才士之恒情也。凡作傳奇，當于開筆之初，以至脱稿之後，隔日一删，逾月一改，始能淘沙得金，無瑕瑜互見之失矣。此説予能言之不能行之者，則人與我中分其咎。予終歲飢驅，杜門日少，每有所作，率多草草成篇，章名急就，非不欲删，非不欲改，無可删可改之時也。每成一劇，才落毫端，即爲坊人攫去，下半猶未脱稿，上半業已灾梨；非止灾梨，彼伶工之捷足者，又復灾其肺腸，灾其唇舌，遂使一成不改，終爲痼疾難醫。予非不務潔净，天實使之，謂之何哉！

意取尖新

纖巧二字，行文之大忌也，處處皆然，而獨不戒于傳奇一種。傳奇之爲道也，愈纖愈密，愈巧愈精。詞人忌在老實，老實二字，即纖巧之仇家敵國也。然纖巧二字，爲文人鄙賤已久，言之似不中聽，易以尖新二字，則似變瑕成瑜。其實尖新即是纖巧，猶之暮四朝三，未嘗稍异。同一話也，以尖新出之，則令人眉揚目展，有如聞所未聞；以老實出之，則令人意懶心灰，有如聽所不必聽。白有尖新之文，文有尖新之句，句有尖新之字，則列之案頭，不觀則已，觀則欲罷不能；奏之場上，不聽則已，聽則求歸不得。尤物足以移人，尖新二字，即文中之尤物也。

少用方言

填詞中方言之多，莫過于《西厢》一種，其餘今詞古曲，在在有之。非止詞曲，即『四書』之中，《孟子》一書亦有方言，天下不知而予獨知之，予讀《孟子》五十餘年不知，而今知之，請先畢其說。兒時讀『自反而縮，雖褐寬博，吾不惴焉』，觀朱注云：『褐，賤者之服；寬博，寬大之衣。』心甚惑之。因生南方，南方衣褐者寡，間有服者，强半富貴之家，名雖褐而實則絨也。因訊蒙師，謂褐乃貴人之衣，胡云賤者之服？既云賤衣，則當從約，短一尺，省一尺購辦之資，少一寸，免一寸縫紉之力，胡不窄小其制而反寬大其形，是何以故？師默然不答。再詢，則顧左右而言他。具此狐疑，數十年未解。及近游秦塞，見其土著之民，人人衣褐，無論絲羅罕覯，即見一二衣布者，亦類空谷足音。因地寒不毛，止以牧養自活，織牛羊之毛以爲衣，又皆粗而不密，其形似毯，誠哉其爲賤者之服，非若南方貴人之衣也！又見其寬則倍身，長復掃地。即而訊之，則曰：『此衣之外，不復有他，衫裳襦褲，總以一物代之，日則披之當服，夜則擁以爲衾，非寬不能周遭其身，非長不能盡覆其足。《魯論》「必有寢衣，長一身有半」，即是類也。』予始幡然大悟曰：『太史公著書，必游名山大川，其斯之謂歟！』蓋古來聖賢多生西北，所見皆然，故方言隨口而出。朱文公南人也，彼烏知之？故但釋字義，不求甚解，使千古疑團，至今未破，非予遠游絶塞，親覯其人，烏知斯言之不謬哉？由是觀之，『四書』之文猶不可盡法，况《西厢》之爲詞曲乎？凡作傳奇，不宜頻用方言，令人不解。近日填詞家，見花面登場悉作姑蘇口吻，遂以此爲成律，每作净丑之白，即用方言，不知此等聲音，止能通于吴越，過此以往，則聽者茫然。傳奇天下之書，豈僅爲吴越而設？至于他處方言，雖云入曲者少，亦視填詞者所生之地。如湯若士生于江右，即當規避江右之方言，粲花主人吳石渠生于陽羡，即當規避陽羡之方言。蓋生此一方，未免爲一方所囿。有明是方言，而我不知其爲方言，及入他境，對人言之而人不解，始知其爲方言者。諸如此類，易地皆然。欲作傳奇，不可不存桑弧蓬矢之志。

時防漏孔

一部傳奇之賓白，自始至終，奚啻千言萬語。多言多失，保無前是後非，有呼不應，自相矛盾之病乎？如《玉簪記》之陳妙常，道姑也，非尼僧也，其白云『姑娘在禪堂打坐』，其曲云『從今孽債染緇衣』，『禪堂』、『緇衣』皆尼僧字面，而用入道家，有是理乎？諸如此類者，不能枚舉。總之，文字短少者易爲檢點，長大者難于照顧。吾于古今文字中，取其最長最大，而尋不出纖毫滲漏者，惟《水滸傳》一書。設以他人爲此，幾同笊籬貯水，珠箔遮風，出者多而進者少，豈止三十六漏孔而已哉！

科諢第五

插科打諢，填詞之末技也，然欲雅俗同歡，智愚共賞，則當全在此處留神。文字佳，情節佳，而科諢不佳，非特俗人怕看，即雅人韵士，亦有瞌睡之時。作傳奇者，全要善驅睡魔，睡魔一至，則後乎此者雖有《鈞天》之樂，《霓裳羽衣》之舞，皆付之不見不聞，如對泥人作揖、土佛談經矣。予嘗以此告優人，謂戲文好處，全在下半本。祇消三兩個瞌睡，便隔斷一部神情，瞌睡醒時，上文下文已不接續，即使抖起精神再看，祇好斷章取義，作零出觀。若是，則科諢非科諢，乃看戲之人參湯也。養精益神，使人不倦，全在于此，可作小道觀乎？

戒淫褻

戲文中花面插科，動及淫邪之事，有房中道不出口之話，公然道之戲場者。無論雅人塞耳，正士低頭，惟恐惡聲之污聽，且防男女同觀，共聞褻語，未必不開窺竊之門，鄭聲宜放，正爲此也。不知科諢之設，止爲發笑，人間戲語盡多，何必專談欲事？即談欲事，亦有『善戲謔兮，不爲虐兮』之法，何必以口代筆，畫出一幅春意圖，始爲善談欲事者哉？人問：善談欲事，當用何法，請言一二以概之。予曰：如説口頭俗語，人盡知之者，則説半句，留半句，或説一句，留一句，令人自思。則欲事不挂齒頰，而與説出相同，此一法也。如講最褻之話慮人觸耳者，則借他事喻之，言雖在此，意實在彼，人盡了然，則欲事未入耳中，實與聽見無异，此又一法也。得此二法，則無處不可類推矣。

忌俗惡

科諢之妙，在于近俗，而所忌者，又在于太俗。不俗則類腐儒之談，太俗即非文人之筆。吾于近劇中，取其俗而不俗者，《還魂》而外，則有《粲花五種》，皆文人最妙之筆也。《粲花五種》之長，不僅在此，才鋒筆藻，可繼《還魂》，其稍遜一籌者，則在氣與力之間耳。《還魂》氣長，《粲花》稍促；《還魂》力足，《粲花》略虧。雖然，湯若士之《四夢》，求其氣長力足者，惟《還魂》一種，其餘三劇則與《粲花》并肩。使粲花主人及今猶在，奮其全力，另製一種新詞，則詞壇赤幟，豈僅爲若士一人所攫哉？所恨予生也晚，不及與二老同時。他日追及泉臺，定有一番傾倒，必不作妒而欲殺之狀，向閻羅天子掉舌，排擠後來人也。

重關系

科諢二字，不止爲花面而設，通場脚色皆不可少。生旦有生旦之科諢，外末有外末之科諢，净丑之科諢則其分内事也。然爲净丑之科諢易，爲生旦外末之科諢難。雅中帶俗，又于俗中見雅；活處寓板，即于板處證活。此等雖難，猶是詞客優爲之事。所難者，要有關係。關係維何？曰：于嘻笑詼諧之處，包含絶大文章；使忠孝節義之心，得此愈顯。如老萊子之舞斑衣，簡雍之説淫具，東方朔之笑彭祖面長，此皆古人中之善于插科打諢者也。作傳奇者，苟能取法于此，是科諢非科諢，乃引人入道之方便法門耳。

貴自然

科諢雖不可少，然非有意爲之。如必欲于某折之中，插入某科諢一段，或預設某科諢一段，插入某折之中，則是覓妓追歡，尋人賣笑，其爲笑也不真，其爲樂也亦甚苦矣。妙在水到渠成，天機自露。『我本無心説笑話，誰知笑話逼人來』，斯爲科諢之妙境耳。如前所云簡雍説淫具，東方朔笑彭祖。即取二事論之。蜀先主時，天旱禁酒，有吏向一人家索出釀酒之具，論者欲置之法。雍與先主游，見男女各行道上，雍謂先主曰：『彼欲行淫，請縛之。』先主曰：『何以知其行淫？』雍曰：『各有其具，與欲釀未釀者同，是以知之。』先主大笑，而釋蓄釀具者。漢武帝時，有善相者，謂人中長一寸，壽當百歲。東方朔大笑，有司奏以不敬。帝責之，朔曰：『臣非笑陛下，乃笑彭祖耳。人中一寸則百歲，彭祖歲八百，其人中不幾八寸乎？人中八寸，則面幾長一丈矣，是以笑之。』此二事，可謂絶妙之詼諧，戲場有此，豈非絶妙之科諢？然當時必親見男女同行，因而説及淫具；必親聽人中一寸壽當百歲之説，始及彭祖面長，是以可笑，是以能悟人主。如其未見未聞，突然引此爲喻，則怒之不暇，笑從何來？

笑既不得，悟從何有？此即貴自然、不貴勉强之明證也。吾看演《南西厢》，見法聰口中所説科諢，迂奇誕妄，不知何處生來，真令人欲逃欲嘔，而觀者聽者絶無厭倦之色，豈文章一道，俗則争取，雅則共弃乎？

格局第六

傳奇格局，有一定而不可移者，有可仍可改，聽人自爲政者。開場用末，衝場用生；開場數語，包括通篇，衝場一出，藴釀全部，此一定不可移者。開手宜静不宜喧，終場忌冷不忌熱，生旦合爲夫婦，外與老旦非充父母即作翁姑，此常格也。然遇情事變更，勢難仍舊，不得不通融兑换而用之，諸如此類，皆其可仍可改，聽人爲政者也。近日傳奇，一味趨新，無論可變者變，即斷斷當仍者，亦加改竄，以示新奇。予謂文字之新奇，在中藏，不在外貌，在精液，不在渣滓，猶之詩賦古文以及時藝，其中人才輩出，一人勝似一人，一作奇于一作，然止别其詞華，未聞异其資格。有以古風之局而爲近律者乎？有以時藝之體而作古文者乎？繩墨不改，斧斤自若，而工師之奇巧出焉。行文之道，亦若是焉。

家門

開場數語，謂之『家門』。雖云爲字不多，然非結構已完、胸有成竹者，不能措手。即使規模已定，猶慮做到其間，勢有阻撓，不得順流而下，未免小有更張，是以此折最難下筆。如機鋒鋭利，一往而前，所謂信手拈來，頭頭是道，則從此折做起；不則姑缺首篇，以俟終場補入。猶塑佛者不即開光，畫龍者點睛有待，非故遲之，欲俟全像告成，其身向左則目宜左視，其身向右則目宜右觀，俯仰低徊，皆從身轉，非可預爲計也。此是詞家討便宜法，開手即以告人，使後來作者未經捉筆，先省一番無益之勞，知笠翁爲此道功臣，凡其所言，皆真切可行之事，非大言欺世者比也。

未説家門，先有一上場小曲，如《西江月》、《蝶戀花》之類，總無成格，聽人拈取。此曲向來不切本題，止是勸人對酒忘憂、逢場作戲諸套語。予謂詞曲中開場一折，即古文之冒頭，時文之破題，務使開門見山，不當借帽覆頂。即將本傳中立言大意，包括成文，與後所説家門一詞相爲表裏。前是暗説，後是明説，暗説似破題，明説似承題，如此立格，始爲有根有據之文。場中閲卷，看至第二三行而始覺其好者，即是可取可弃之文；開卷之初，能將試官眼睛一把拿住，不放轉移，始爲必售之技。吾願才人舉筆，盡作是觀，不止填詞而已也。

元詞開場，止有冒頭數語，謂之『正名』，又曰『楔子』，多則四句，少則二句，似爲簡捷。然不登場則已，既用副末上場，脚纔點地，遂爾抽身，亦覺張皇失次。增出家門一段，甚爲有理。然家門之前，另有一詞，今之梨園皆略去前詞，祇就家門説起，止圖省力，埋没作者一段深心。大凡説話作文，同是一理，入手之初，不宜太遠，亦正不宜太近。文章所忌者，開口駡題，便説幾句閑文，纔歸正傳，亦未嘗不可，胡遽惜字如金，而作此鹵莽滅裂之狀也？作者萬勿因其不讀而作省文。至于末後四句，非止全該，又宜别俗。元人楔子，太近老實，不足法也。

衝場

開場第二折，謂之『衝場』。衝場者，人未上而我先上也。必用一悠長引子。引子唱完，繼以詩詞及四六排語，謂之『定場白』，言其未説之先，人不知所演何劇，耳目摇摇，得此數語，方知下落，始未定而今方定也。

此折之一引一詞，較之前折家門一曲，猶難措手。務以寥寥數言，道盡本人一腔心事，又且蘊釀全部精神，猶家門之括盡無遺也。同屬包括之詞，而分難易于其間者，以家門可以明說，而衝場引子及定場詩詞全用閣射，無一字可以明言故也。非特一本戲文之節目全于此處埋根，而作此一本戲文之好歹，亦即于此時定價。何也？開手筆機飛舞，墨勢淋灕，有自由自得之妙，則把握在手，破竹之勢已成，不憂此後不成完璧。如此時此際文情艱澀，勉强支吾，則朝氣昏昏，到晚終無晴色，不如不作之爲愈也。然則開手鋭利者寧有幾人？不幾阻抑後輩，而塞填詞之路乎？曰：不然。有養機使動之法在：如入手艱澀，姑置勿填，以避煩苦之勢；自尋樂境，養動生機，俟襟懷略展之後，仍復拈毫，有興即填，否則又置，如是者數四，未有不忽撞天機者。若因好句不來，遂以俚詞塞責，則走入荒蕪一路，求辟草昧而致文明，不可得矣。

出脚色

本傳中有名脚色，不宜出之太遲。如生爲一家，旦爲一家，生之父母隨生而出，旦之父母隨旦而出，以其爲一部之主，餘皆客也。雖不定在一齣二齣，然不得出四五折之後。太遲則先有他脚色上場，觀者反認爲主，及見後來人，勢必反認爲客矣。即净丑脚色之關乎全部者，亦不宜出之太遲。善觀場者，止于前數齣所見，記其人之姓名；十齣以後，皆是枝外生枝，節中長節，如遇行路之人，非止不問姓字，并形體面目皆可不必認矣。

小收煞

上半部之末出，暫攝情形，略收鑼鼓，名爲『小收煞』。宜緊忌寛，宜熱忌冷，宜作鄭五歇後，令人揣摩下文，不知此事如何結果。如做把戲者，暗藏一物于盆盎衣袖之中，做定而令人射覆，此正做定之際，衆人射覆之時也。戲法無真假，戲文無工拙，祇是使人想不到、猜不着，便是好戲法、好戲文。猜破而後出之，則觀者索然，作者赧然，不如藏拙之爲妙矣。

大收煞

全本收場，名爲『大收煞』。此折之難，在無包括之痕，而有團圓之趣。如一部之内，要緊脚色共有五人，其先東西南北各自分開，至此必須會合。此理誰不知之？但其會合之故，須要自然而然，水到渠成，非由車戽。最忌無因而至，突如其來，與勉强生情，拉成一處，令觀者識其有心如此，與恕其無可奈何者，皆非此道中絶技，因有包括之痕也。骨肉團

聚，不過歡笑一場，以此收鑼罷鼓，有何趣味？水窮山盡之處，偏宜突起波瀾，或先驚而後喜，或始疑而終信，或喜極信極而反致驚疑，務使一折之中，七情俱備，始爲到底不懈之筆，愈遠愈大之才，所謂有團圓之趣者也。予訓兒輩，嘗云：『場中作文，有倒騙主司入彀之法：開卷之初，當以奇句奪目，使之一見而驚，不敢弃去，此一法也；終篇之際，當以媚語攝魂，使之執卷留連，若難遽别，此一法也。』收場一齣，即勾魂攝魄之具，使人看過數日，而猶覺聲音在耳、情形在目者，全虧此齣撤嬌，作『臨去秋波那一轉』也。

填詞餘論

讀金聖嘆所評《西厢記》，能令千古才人心死。夫人作文傳世，欲天下後代知之也，且欲天下後代稱許而贊嘆之也。殆其文成矣，其書傳矣，天

下後代既群然知之，復群然稱許而贊嘆之矣，作者之苦心，不幾大慰乎哉？予曰：未甚慰也。譬人而不得其實，其去毀也幾希。但云千古傳奇當推《西厢》第一，而不明言其所以爲第一之故，是西施之美，不特有目者贊之，盲人亦能贊之矣。自有《西厢》以迄于今，四百餘載，推《西厢》爲填詞第一者，不知幾千萬人，而能歷指其所以爲第一之故者，獨出一金聖嘆。是作《西厢》者之心，四百餘年未死，而今死矣。不特作《西厢》者心死，凡千古上下操觚立言者之心，無不死矣。人患不爲王實甫耳，焉知數百年後，不復有金聖嘆其人哉！

聖嘆之評《西厢》，可謂晰毛辨髮，窮幽極微，無復有遺議于其間矣。然以予論之，聖嘆所評，乃文人把玩之《西厢》，非優人搬弄之《西厢》也。文字之三昧，聖嘆已得之；優人搬弄之三昧，聖嘆猶有待焉。如其至今不死，自撰新詞幾部，由淺及深，自生而熟，則又當自火其書而别出一番詮解。甚矣，此道之難言也。

聖嘆之評《西厢》，其長在密，其短在拘，拘即密之已甚者也。無一句一字不逆溯其源，而求命意之所在，是則密矣，然亦知作者于此有出于有心，有不必盡出于有心者乎？心之所至，筆亦至焉，是人之所能爲也；若夫筆之所至，心亦至焉，則人不能盡主之矣。且有心不欲然，而筆使之然，若有鬼物主持其間者，此等文字，尚可謂之有意乎哉？文章一道，實實通神，非欺人語。千古奇文，非人爲之，神爲之、鬼爲之也，人則鬼神所附者耳。